Alma Flor Ada

Todo es canción

Antología poética

© De esta edición:
2010, Santillana USA Publishing Company, Inc.
2023 NW 84th Avenue
Doral, FL 33122, USA
www.santillanausa.com

© Del texto: 2010, Alma Flor Ada

Editora: Isabel Mendoza
Ilustraciones: María Jesús Álvarez
Diseño Gráfico: Silvana Izquierdo
Producción: Jacqueline Rivera

Alfaguara es un sello editorial del Grupo Santillana. Estas son sus sedes:

ARGENTINA, BOLIVIA, CHILE, COLOMBIA, COSTA RICA, ECUADOR, EL SALVADOR,
ESPAÑA, ESTADOS UNIDOS, GUATEMALA, MÉXICO, PANAMÁ, PARAGUAY, PERÚ,
PUERTO RICO, REPÚBLICA DOMINICANA, URUGUAY Y VENEZUELA.

Todo es canción: Antología poética de Alma Flor Ada
ISBN: 978-1-61605-173-0

Published in the United States of America
Printed in Colombia by D'vinni S.A.

15 14 13 12 11   1 2 3 4 5 6 7 8 9 10

ÍNDICE

Prólogo
¿Qué es poesía?

¿Qué es poesía?
¿Y tú me lo preguntas?
Poesía eres tú.

ando el poeta Gustavo Adolfo Bécquer escribió estos versos que hoy son famosos, dirigió a una joven en especial. Pero puede pensarse en ellos como una definición la poesía: poesía eres tú, lector o lectora, lo es cada uno de nosotros, porque esía es la expresión de nuestros sentimientos, nuestras emociones y recuerdos, estros sueños, la sorpresa de ver algo nuevo o de descubrir algo nuevo en lo que nos todos los días. Poesía es todo lo que sabemos o imaginamos, cuando logramos oresarlo en palabras, cuando le arrancamos una sonrisa a la vida.

Todas las culturas del mundo han creado poesía, en todas las lenguas. Al principio poesía se creaba solo oralmente. Y se recitaba o se cantaba. Así continúa siendo en culturas que no tienen un sistema de escritura. En las que lo han desarrollado, solo ucho más tarde se empezó a escribir poesía.

En nuestro idioma, muchos hermosos poemas han sobrevivido a través de los años. recitaban, nuevas generaciones los memorizaban y los repetían, y así han permanecido vos por siglos. Muchos otros habrán desaparecido. Hoy hay poemas que siguen naciendo almente en los labios de los poetas populares y hay otros que se escriben.

Siempre ha habido poetas, trovadores y juglares que han acompañado los oemas con música. Desde la cítara de los griegos hace 25 siglos y los laúdes de s juglares medievales hasta la guitarra de los cantautores de hoy, la palabra y la úsica se han unido. Han marcado estilos, han cambiado de ritmo, han elegido mas distintos sobre los que hablar, pero siempre han logrado llegar al corazón de gente, de cualquier edad.

En todas las culturas, a los poetas se los ha considerado personas especiales, oseedoras de un don, capaces de expresar de forma memorable, es decir, fácil e recordar, ideas y sentimientos que muchos pueden reconocer como propios. Ya a en la Grecia y Roma clásicas, en las culturas milenarias de Japón y de China, n las extraordinarias civilizaciones de América Central y del Sur, o en las islas de licronesia, los poetas han sido admirados y reverenciados.

La cultura de quienes hablamos español ha sido rica en poesía a lo largo de toda u historia, y algunos de los mayores poetas del mundo han creado su poesía en español.

Jorge Manrique, Cervantes, Lope de Vega, Quevedo, Góngora, Fray Luis de Le
Santa Teresa de Jesús, San Juan de la Cruz, Sor Juana Inés de la Cruz, Gustavo Add
Bécquer, Gertrudis Gómez de Avellaneda, José Martí, Miguel de Unamuno, Anto
Machado, Juan Ramón Jiménez, Jorge Guillén, Pedro Salinas, Miguel Hernández, Ju
de Ibarborou, Alfonsina Storni, Nicolás Guillén, Francisco Matos Paoli, Martín Ad
Arturo Corcuera, Washington Delgado y Mirta Aguirre son solo unos cuantos nomb
entre muchos, muchísimos, que aprenderás a reconocer, a leer, a querer.

Los buenos poemas pueden ser disfrutados por personas de todas
edades, aunque algunas veces los poetas los escriben pensando especialmente
los niños, e incluso, algunos poetas se dedican a crear de manera particular p
ellos, como lo han hecho Francisco X. Alarcón, Dora Alonso, Germán Berdial
Elsa Isabel Borneman, F. Isabel Campoy, Jaime Ferrán, Esther Feliciano Mendoz;
María Elena Walsh, por ejemplo.

Toda la poesía que se ha escrito en el mundo te pertenece. Para que
poema sea tuyo para siempre, todo lo que necesitas es disfrutarlo y recordarlo. L
poemas son un tesoro que nadie podrá arrebatarte, que podrás llevar contigo p
todo el mundo sin pagar exceso de equipaje, que te acompañarán cada vez que
desees o que los necesites.

Poesía en verso y en prosa

Generalmente, la poesía está compuesta en versos, es decir, en una serie de líne
más o menos breves, pero no siempre es así. Hay algunos poetas, como Juan Ram
Jiménez y Rabindranath Tagore, por ejemplo, capaces de escribir prosa lírica, q
es otra forma de poesía. El hermoso libro *Platero y yo*, de Juan Ramón, está escri
en esta forma de poesía.

Comienza:

Platero es pequeño, peludo, suave; tan blando por fuera, que se diría to
de algodón, que no lleva huesos. Sólo los espejos de azabache de sus oj
son duros, cual dos escarabajos de cristal negro.

Lo dejo suelto y se va al prado y acaricia tibiamente con su hocic
rozándolas apenas, las florecillas rosas, celestes y gualdas… Lo llan
dulcemente: "¿Platero?" y viene a mí con un trotecillo alegre que pare
que se ríe, en no sé qué cascabeleo ideal…

No te habrá sido difícil entender que esta prosa es distinta de otras, reconocer que estas palabras, a la vez que describen, deleitan de una manera especial. No te habrá sido difícil comprender que son poesía.

El verso libre

La poesía escrita en verso muchas veces utiliza recursos formales, como la métrica, es decir, el número de sílabas de cada verso, y la rima, que la ayudan a ser más musical. Vamos a ver algunos de estos recursos, pero es importante que sepas que ninguno de ellos es necesario para que haya poesía y que puede haber poesía en verso que no los use, y en ese caso, hablamos de verso libre. Aquí tienes un ejemplo:

> Computadora, buena amiga,
> confidente de mis secretos,
> me ayudas a escribir palabras
> a deletrearlas bien,
> pero sobre todo,
> tienes paciencia con mis errores
> y me dejas borrar y cortar y pegar
> ¡y al final, no se ven los borrones!

[*Computadora*, fragmento, Alma Flor Ada]

La rima

Uno de los recursos usados en la poesía es la rima. En español hay dos tipos de rima, ambas de igual importancia.

La **rima consonante** se produce cuando en dos palabras todos los sonidos desde la última vocal acentuada son iguales:

> prefiero risas a su din**ero**
> y voy a hacerme titirit**ero**.

[*Oficios*, fragmento, Alma Flor Ada]

La **rima asonant**e se produce cuando en dos palabras solo los sonidos de las vocales desde la última acentuada son iguales:

11

Una paloma blanca	a a
desde el cielo bajó	o
en el pico una rama	a a
en la rama una flor.	o

[Tradicional, fragmento]

Aunque la rima puede ser un elemento de muchos hermosos poemas, no es como dijimos antes, imprescindible. Es posible que haya buena poesía sin rima Y a la vez, es muy importante aclarar que la rima, en sí misma, no crea la poesía Es posible rimar versos y no llegar a crear poesía. Lamentablemente, hay muchos ejemplos públicos de pobres versos rimados que no llegan a ser poesía.

La aliteración

Si la rima es la repetición de los sonidos finales de las palabras, la aliteración es la repetición de los sonidos iniciales. Es uno de los muchos elementos sonoros que puede usar la poesía:

> ¡Qué **prom**esa la **prim**era
> mañana de **prim**avera!

[*Primavera*, fragmento, Alma Flor Ada]

El metro

Otro de los recursos que ayuda a crear musicalidad en la poesía es el metro, e decir, la combinación del número de sílabas en el verso.

En español el metro preferido es el verso de ocho sílabas u octosílabo. Lo antiguos romances y las canciones populares están creados en octosílabos, así como muchas de las rondas infantiles.

Al contar las sílabas de un verso en español, hay que tener en cuenta que algunas veces, la vocal final de una palabra y la primera vocal de la siguiente se pronuncian como si fueran una sola sílaba. A esto lo llamamos *sinalefa*:

Estab**a el** señor don Gato	= 8
en silla d**e o**ro sentado	= 8
calzando medias de seda	= 8
y zapatitos dorados.	= 8

[*Romance del señor don Gato*, fragmento, anónimo]

También hay que saber que en español todos los versos deben ser llanos, es decir que la última sílaba acentuada sea la penúltima. Por eso, si el verso termina en palabra aguda, se cuenta una sílaba extra, es como la pausa pequeña, el silencio, que se añade a veces en las composiciones musicales.

La reina llam**a a su hi**ja = 8
y le dice: "Ven acá" = 7 + 1
para que oigas cantar = 7 + 1
las sirenitas del mar. = 7 + 1

[*Romance del conde niño*, fragmento, anónimo]

Hemos dicho que los versos de ocho sílabas son los más comunes en español. Pero puede haber versos de todo número de sílabas. El poeta Rubén Darío escribió hermosos poemas con largos versos de 14 sílabas o alejandrinos:

La princesa está triste... ¿qué tendrá la princesa?
Los suspiros se escapan de su boca de fresa,
que ha perdido la risa, que ha perdido el color.
La princesa está pálida en su silla de oro,
está mudo el teclado de su clave sonoro
y en un vaso, olvidada, se desmaya una flor.

[*Sonatina*, fragmento, Rubén Darío]

Imágenes y metáforas

Las imágenes y las metáforas son recursos poéticos de distinta naturaleza. Buscan encantar y deleitar al hacer asociaciones distintas a las acostumbradas, al usar palabras diferentes a las de cada día.

Mariposa de primores
un moñito de colores.

[*Mariposa*, Ernesto Galarza]

El otoño lo viste
de llamarada,
el invierno desnuda
todas sus ramas.

[*Los trajes del árbol*, fragmento, Alma Flor Ada]

Cuando Ernesto Galarza llama a la mariposa «moñito de colores», o leemos que el otoño viste al árbol «de llamarada», sabemos que en realidad la mariposa no es un lazo ni las hojas rojas son llamas, pero nos satisfacen las imágenes que crean las palabras.

La visión poética

A veces, lo que nos fascina de la poesía es que nos presenta una idea nueva que nos sorprende porque no se nos había ocurrido:

> ¿De qué color ven el mar
> los ojos negros?
> ¿Y los azules
> lo ven igual?

[F. Isabel Campoy]

Esa visión poética puede estar apoyada en una metáfora, como cuando Isabel Campoy imagina que el color rojo de las fresas es producto del rubor que les produce el ver al sol besar a su novia, la tierra:

> Vamos a ver como besa
> el sol a su novia la tierra
> y como se colorean, al verlo,
> todas, toditas las fresas.

[F. Isabel Campoy]

Los temas poéticos

Hay quienes piensan que solo algunos temas se prestan para hacer poesía, pero lo cierto es que es posible hacer poesía sobre cualquier tema.

La poesía no necesita hablar de cosas excepcionales, puede celebrar las cosas más pequeñas o más sencillas de la vida. El gran poeta Pablo Neruda, en sus *Odas elementales*, creó grandes poemas sobre cosas muy sencillas, como en esta «Oda a la cuchara»:

> Cuchara
> pequeñita,
> en la

mano
del niño
levantas
a su boca
el más antiguo
beso de la tierra [...].

Algo tan cotidiano como la puerta de un refrigerador, cubierta con fotos, ırtas y dibujos sujetos con imanes, se convierte en el tema para un poema que ırmina diciendo:

La puerta del refrigerador
no se sabe si tiene color
porque la cubren, de arriba abajo,
fotos, teléfonos, cartas,
todo sujeto por nuestro amor.

[*La puerta del refrigerador*, fragmento, F. Isabel Campoy]

En este libro encontrarás poemas distintos, diversos en su tema y en su ırma. Cada uno de ellos representa un momento en que sentí que algo merecía ı pena de ser reconocido y cantado. Al crear un poema, busqué que lo que ntes era una idea o sentimiento dentro de mí se convirtiera en algo que todos ıudiéramos reconocer.

Detrás de cada poema hay una invitación para ti. Sí, tú eres poesía. Son ıoesía tus pensamientos y tus emociones, lo que piensas y lo que imaginas, lo que ueñas y deseas. Es poesía la mirada con que ves la vida, como si antes no hubiera ıxistido, como si nadie la hubiera estrenado. Y te invito a que algún día conviertas ısa poesía que hay dentro de ti en un poema, poniendo tu voz sobre la página.

Canción

Canta
el agua en la roca,
el pájaro en la rama
y el poema en la página.

Mi cuerpo y yo

Mi cara

Dos ojos, para ver
el amplio azul del mar,
el color de las flores,
la cara de mamá.

La nariz me avisa,
¡gran adivina!,
que hierven los frijoles
en la cocina.

Dentro de mis orejas,
en mis oídos,
hacen fiesta las voces,
música y ruido.

La boca me permite
comer, hablar,
dar besos a abuelita,
reír, cantar.

Pares

𝒰n par de ojos,
un par de cejas,
un par de párpados
y un par de orejas.

En nuestro cuerpo,
hay cosas particulares
que siempre vienen
formando pares.

Dos ojos,
dos cejas,
y dos orejas.

Dos hombros,
dos brazos,
dos codos,
dos manos,
dos rodillas,
dos piernas
y dos pies.

¿Los contamos otra vez?

Orejas

Me gusta escuchar
la voz de mamá,
y me encanta oír
reír a papá.

Me gusta escuchar
a la abuelita
contándonos cuentos
de tardecita.

Me alegra la música
alegre y sabrosa,
pero más que nada
quiero... oír hablar
a una mariposa.

Los dedos de las manos

*U*no, dos, tres, cuatro, cinco,
los deditos de las manos.
Uno, dos, tres, cuatro, cinco,
siempre son buenos hermanos.

Para pintar y trazar,
para aprender a contar.
Para cortar, para pegar
y aprender a dibujar.

iempre diez

 $\mathcal{D}$ iez deditos
de las manos
y diez dedos
de los pies.

¿Los contamos
otra vez?
Siguen siendo
siempre diez.

Mis zapatitos

 $\mathcal{L}$ e digo a mamá
que se han encogido,
pero ella dice
¡que yo he crecido!

Mi amiga la sombra

En agradecimiento a Robert Luis Stevenson

Si corro, ella corre;
salta si yo salto.
Si me quedo quieta,
no se mueve un tanto.

Cuando yo le hablo,
nunca me contesta,
aunque en todo juego
me sigue muy presta.

Pero si madrugo
antes que el sol salga,
por más que la busco
no logro encontrarla.

Mi amiga la sombra,
la muy haragana,
¡se queda en la cama
toda acurrucada!

as manos

¡Cuántas cosas pueden
hacer nuestras manos!

Escribir letras y números,
ayudarnos a vestir,
construir un papalote
y luego hacerlo subir.

Abrir puertas y ventanas,
tirar y batear pelotas,
dibujar flores pequeñas
y también fieras grandotas.

Recortar, sembrar,
hacer la cuerda girar,
acariciar a los hermanos,
armar un rompecabezas.
¡Qué fabulosas las manos,
están llenas de sorpresas!

on los qu

Con los que más quiero

Mi casa

Mi casita es blanca,
color de algodón,
con el techo rojo
como un corazón.

Roja es la manzana.
La amapola es roja.
¿Cuál de las dos
quieres que recoja?

El cielo se mira
en el río claro
y descubre entonces
un azul hermano.

El sol amarillo
parece un limón.
Las flores de mayo
son una canción.

El campo se viste
con su nueva falda,
una falda verde,
color de esperanza.

Mi casita blanca,
color de algodón,
nos protege a todos,
¡tiene corazón!

Mi familia

Mi abuelo me cuenta cuentos,
papá me enseña a nadar,
mi hermanita me da besos,
mamá me invita a cantar.

Mi tía me hizo una muñeca,
mi tío me enseña a sembrar,
mi hermano juega conmigo
y hasta me lleva a pasear.

Mis primos me leen un libro,
madrina me hace bailar,
y mi abuelita querida
me ha enseñado a recitar.

En la mesa

Ya hemos terminado.
Es hora del postre.
Mamá nos pregunta
cosas de la escuela.
Mi padre nos cuenta
cosas de la abuela,
mi madre sonríe,
mi hermana lo escucha
con la boca abierta.
Y mientras lo oímos
en puro silencio,
mi hermano el pequeño
se come, él solito,
todas las cerezas.

Reunión familiar

Mi casa está repleta
con tanta gente,
vinieron de visita
nuestros parientes.

Abuelas, tíos, primos
y mis padrinos,
mis padres, mis hermanos
y los vecinos.

Comemos, conversamos
y nos reímos.
Solo con estar juntos
nos divertimos.

strellita del cielo

$\mathcal{E}$strellita, estrellita,
¿vas a la escuela?
¿O te quedas en casa
feliz con tu abuela?

Más que el oro

$\mathcal{E}$l beso de mi mamá
vale mucho más que el oro.
La sonrisa de abuelita
vale mucho más que el oro.
El cariño de papá
vale mucho más que el oro.
El cuento de mi abuelito
vale mucho más que el oro.
La risa de mi hermanito
vale mucho más que el oro.
Mi verdadero tesoro,
¡la familia que yo adoro!

En la escuela

Contando

Uno,
el rabo de mi gatito.
Uno, dos,
sus orejitas paradas.
Uno, dos, tres,
su naricita al revés.
Uno, dos, tres, cuatro,
las patitas de mi gato.
Uno, dos, tres, cuatro, cinco,
mi gatito ha dado un brinco.
Tres, cuatro, cinco y seis,
es tan lindo como un rey.
Cuatro, cinco, seis y siete,
va a coger el barrilete.
Cinco, seis, siete y ocho,
se ha comido ya un bizcocho.
Seis, siete, ocho y nueve,
mi gatito no se mueve.
Siete, ocho, nueve y diez,
se acostó sobre mis pies.
¡Y si yo ya sé contar,
mi gato sabe roncar!
Yo voy a seguir contando,
y el gatito..., ronroneando.

Uno

Un caballo
que tira del coche
con un cochero
de día y de noche.

Una casita
con techo de grana,
con una puerta
y una ventana.

Un sol que alumbra
por la mañana
y que se mete
por la ventana.

Un pajarito
que canta en el techo
y que me invita
a dejar el lecho.

Junto al camino
vive una rosa.
Y hoy la visita
una mariposa.

Dos

Un payaso
y otro payaso
son dos payasos
y doble diversión.

Tres

Uno, dos y tres,
tres, dos y uno.
Yo ya sé contar,
como ninguno.

Uno y dos son tres,
tres son dos más uno.
Yo ya sé sumar
como ninguno.

Cuatro patas tiene el gato:
una, dos, tres y cuatro.

Cuatro patas tiene
la mesa de la cocina,
y también tiene cuatro
la silla.

Cuatro ruedas tiene el auto,
y cuatro tiene el camión,
pero no la bicicleta,
¡esa solo tiene dos!

Cinco

Cinco dedos tengo
en cada mano.
Y son los mismos
que tiene mi hermano.

Mis dedos tienen nombre:
pulgar e *índice*,
medio, anular
y *meñique*.

Meñique, anular,
medio, índice y *pulgar*,
aun dichos al revés,
vuelven a ser cinco
y nunca son seis.

*L*unes, martes, miércoles, tres,
jueves, viernes, sábado, seis.
Seis días para ir a la escuela,
para aprender y leer,
para estudiar y jugar,
para reír, para cantar,
para saltar y trepar.

Y el domingo ¿que pasó?
Se cansó tanto que se durmió.

Siete

Siete son los días
de la semana.

Lunes, uno.
—Ven acá, Bruno.

Martes, dos.
—¿Tienes tos?

Miércoles, tres.
—Llama a Andrés.

Jueves, cuatro.
—Mira a mi gato.

Viernes, cinco.
—Va a dar un brinco.

Sábado, seis.
—Ya saltó, como lo ves.

Domingo, siete.
—Tan alto como un cohete.

El reloj marca las ocho.
A las ocho,
¿me como un bizcocho?
¡No! A las ocho,
me voy a la escuela.
Camino con gusto
junto a mi abuela.
Es más alegre, a las ocho,
ir a la escuela
que comerse un bizcocho.

Nueve

Ocho más uno,
siete más dos,
seis más tres,
cinco más cuatro,
cuatro más cinco,
tres más seis,
dos más siete,
uno más ocho.

De aquí no se mueve
el nueve.

Diez

01
El uno
detrás del cero
sigue siendo solo uno.

Pero mira,
¡qué sorpresa!

10
El cero
detrás del uno
me lo ha convertido
en diez.

A de amigos

A de amigos
y alegría,
de amiguito
y amiguita.
A de abrazos
a abuelita.

La E

La **E** es la letra
de un **elefante enamorado**
de una **estrella**.
Disfrutaba verla
en todo su **esplendor**,
y tenía la **esperanza**
de poder alcanzarla.
¿Sabes ahora
por qué la **E**
tiene forma de **escalera?**

La i minúscula

*L*a i minúscula usa sombrero
por si la agarra un aguacero.

La I mayúscula, tan estirada,
ya de sombreros no quiere nada.

La O es redonda

*L*a O es redonda
como pelota,
la O es redonda
como balón,
la O, redonda,
es la lunota
que alegre miro
desde el balcón.

$\mathcal{L}$a U es curva
como una cuerda
porque la quiero saltar.
Ven que vamos a jugar.
—Salta la cuerda
—Sáltala tú.
—Salto la cuerda.
—¡Salto la U!

Canción del abecedario

A, B, C, Ch, D,
E, F, G, H, I,
J, K, L, Ll, M
N, Ñ, O, P, Q,
R, S, T, U, V,
W, X, Y, Z,
ya me sé el abecedario
y pronto me graduaré.
Me sé las letras de lo mejor,
pronto voy a ser doctor.
Me lo aprendí en una hora,
pronto voy a ser doctora.

A, be, ce, che, de,
e, efe, ge, hache, i,
jota, ka, ele, elle, eme,
ene, eñe, o, pe, cu,
erre, ese, te, u, ve,
doble ve, equis, y griega, zeta,
ya me sé el abecedario
y pronto me graduaré.
¡Lo sé!

Mis libros

Para Mari Nieves Díaz Méndez y Tania Álvarez, amantes de los libros

*L*ibros divertidos,
libros fascinantes,
muy entretenidos,
muy emocionantes.

Libros de aventuras,
páginas amadas,
con mil travesuras
y cuentos de hadas.

Libros de piratas
que cruzan los mares
y arriban a islas
de hermosos palmares.

Sentada en mi casa,
cruzo la llanura,
trepo las montañas
y viajo a la Luna.

Ninguna jornada
me resulta dura
porque abrir un libro
ya es una aventura.

Y en todas tus páginas,
libro, me regalas
con cada palabra,
las mejores alas.

Para que

Para reír y jugar

El ratón Botón

Este es el ratón Botón,
que vivía en un rincón
de la casita de Antón.
Tilín, tin, tin, tolón, ton, ton.

Este es el gato Ron Ron,
que nunca pescó al ratón
que vivía en un rincón
de la casita de Antón.
Tilín, tin, tin, tolón, ton, ton.

a ratita Roequeso

Roe, roe calladita,
la ratita en su rincón.
Roe pan, roe galletas,
come queso y requesón.

Se comió el pan, las galletas,
el queso se le acabó…
Llega el gato. Y la ratita
corre y se sube al balcón.

Sigue el gato a la ratita.
Ninguno de ellos volvió.
Y de todito este cuento,
¡solo queda el requesón!

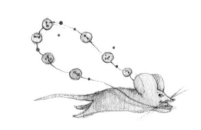

Clotilde

Clotilde, la gallina,
no vino a la lección.
¿Por qué no vino a clase?
¿Por qué hoy día faltó?

Ayer se fue a la clínica
y le dijo a un doctor.
—Ya no me sienta el clima.
¡Hasta he perdido el clo!

¡Qué rápido sus males
allí curó el doctor
con un rico jarabe
y aceite de alcanfor!

Clotilde, la gallina,
cantando clo, clo, clo,
repite alegremente:
—¡Qué bueno ese doctor!

La gallina Picotina

La gallina Picotina
se va caminando sola.
Busca semillas, toma agua,
picotea una amapola…

La gallina Picotina
camina y sola se va.
Le cae un pétalo suave.
¡Menudo susto se da!

Y llama toda asustada:
—¡Todos al nido, pollitos!
Solo uno no tiene miedo:
es el pollito Pío-Pío.

Luego llama ella a los pavos,
al gallo, a la vaca, al pato,
a los venados y al sapo,
a Nina, a Nino y al gato.

—¡Es una nube, una nube!
Picotina así avisó.
A seis o siete animales
la gallinita asustó.

Con un pétalo bonito,
llega Pío-Pío el pollito:
—¡Mamita, no es una nube!
¡Esto es solo un petalito!

Zorra y zorrillo

La zorra al zorrillo
invita a comer:
—Te tengo un pollito
cocinado en miel.

El zorrillo fino
a la zorra azul
le dice: —¡No puedo!
Cómetelo tú.

—¡No como pollito,
carne ni marrano!
Como verduritas.
Soy vegetariano.

El pirata Patapalo

Vuelo sobre las olas,
dueño de mi bajel,
como corre en los campos
libre el corcel.

Amo la mar inmensa
para perderme en ella
buscando una isla oculta,
alegre y bella.

Cuando soplan los vientos
huracanados,
navego a toda vela,
desenfadado.

Pero si dura mucho
tanto vaivén,
voy a puerto seguro,
y... ¡aquí me ven!

Aires de

Aires de la ciudad

Mi barrio

Colores hermosos,
la florería;
olores sabrosos,
la panadería.

Si tenemos hambre,
la taquería;
para divertirnos,
¡la juguetería!

El parque,
para brincar,
para correr
y jugar.

La biblioteca,
para oír cuentos
de fantasmas
y de esperpentos.

Vecinos amables,
amigos sinceros,
este es mi barrio,
y yo lo quiero.

Vámonos al parque,
amigo,
ven, ven a jugar
conmigo.

Saltar, correr,
brincar, trepar
co lum piar nos
des li zar nos.

Mirar los perros,
pájaros y hojas,
y entre las ramas,
ardillas rojas.

¡Qué contenta estoy,
amigo,
de poder jugar
contigo!

El heladero

Dobla la esquina
mágico carro del heladero.
Llama la música.
Niños y niñas corren ligero.

De gozos refrescantes
buen mensajero,
se acerca por la calle
el heladero.

Columpio

Sube el columpio,
y parece
que el árbol
me quiere hablar
y que del cielo
una nube
está bajando
a jugar.

Semáforo

Las luces del semáfo
saben hablar:
el verde dice *Sigue*,
pero el rojo, *Parar*.

Si se pone amarillo
nos quiere avisar
que la luz del semáforo
ya va a cambiar.

El supermercado

Al supermercado
voy a buscar
lo que se necesita
para cocinar.

Leche y queso,
jalea y pan,
aceite y huevos,
de todo hay.

Frescas verduras,
pollo y pescado,
frutas maduras,
todo he comprado.

El hospital

—Algún día
seré doctor
y a la gente
quitaré el dolor.

—Prepararé remedios
en profusión.
Ser farmacéutica
es mi ambición.

—Pues yo planeo
ser cirujana.
Cuando te opere,
quedarás sana.

—La ambulancia
yo conduciré
y al hospital
te llevaré.

a fábrica

Van a abrirse las puertas,
comienza el día.
La fábrica se llena
de algarabía.

Cada obrero ya sabe
cuál es su puesto.
Y a hacer un buen trabajo
está dispuesto.

Cada uno trabaja
en lo que más sabe,
para que el producto
perfecto acabe.

Del hierro se hacen carros,
del algodón, tejidos,
de la madera, muebles;
serán bien recibidos.

Van a cerrar las puertas,
termina el día.
La fábrica en silencio.
En la casa, alegría.

La lluvia

*C*his, chas.
La lluvia alegra
toda la calle.

Brillan las tejas
de los tejados,
brilla el asfalto
que está mojado.

Los edificios, tan estirados,
sonríen al verse recién lavados.
Y a mi barquito se le ha olvidado
que era tan solo papel doblado.

Chis, chas.
La lluvia alegra
toda la calle.
    Chis, chas,
        chis, chas,
            chis, chas.

El puerto

El tren ya viene
sobre las vías
todo cargado
de mercancías.

Las grúas colocan
en la bodega
toda la carga
que al muelle llega.

El barco lleno
ya está saliendo,
el remolcador
lo va dirigiendo.

Los pasajeros
van saludando
a una lancha
que está llegando.

Entran y salen
buques, vapores,
lanchas y botes,
remolcadores.

El puerto todo
es animación,
ruidos, sirenas,
¡cuánta emoción!

El circo

Tarde de circo: sorpresas,
colores y algarabía,
payasos y trapecistas.
Tarde de circo: alegría.

Caballos blancos
con caballistas.
Trapecios altos
con trapecistas.

Entre las fieras,
el domador,
haciendo alarde
de su valor.

En el alambre,
el equilibrista,
de quien ya nadie
aparta la vista.

Y es cada cara
toda alegría
en esta tarde
de fantasía.

Mi vecina de enfrente

$\mathcal{M}$i vecina de enfrente
usa antifaz
y de hacer travesuras
es muy capaz.

Dejé la puerta abierta,
y la vecina
me hizo un gran revoltijo
en la cocina.

La señora mapache
de la cola anillada
solo sale de noche
y muy callada.

Mis vecinos de la ciudad

Mi maestra
quiere llevarnos al zoológico
a ver animales.
Mi libro
dice que los animales
viven en el campo.

Yo miro a las hormigas
trepar por la pared,
salir por un hoyito,
regresar otra vez.

En el cantero
de la ventana,
ayer vi a una lombriz
que se arrastraba.

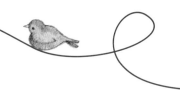

Echo migas al patio,
vienen gorriones,
se las acaban todas
los comilones.

En el árbol de enfrente
vive una ardilla,
no creo que viva sola
la traviesilla.

Si regresamos tarde,
vemos brillar
ojos de mapaches
en la oscuridad.

No cabe duda
de que en mi vecindad,
viven animales
en cantidad.

Mis vecinos del campo

En mi montaña,
entre los pinos,
vivo rodeada
de mil vecinos.

No tienen casa,
no andan en coche,
y muchos salen
solo de noche.

De pico y pluma,
de piel sedosa,
de cuatro patas,
de cola hermosa.

Son mis vecinos
muy diferentes,
pero todos parecen
inteligentes.

Zorrillos, venados, zorras,
liebres, conejos, ratones,
coyotes, pájaros, búhos,
mapaches y picaflores.

Estos son solo unos pocos
de los vecinos
que he encontrado al mudarr
entre los pinos.

Somos amigos

Dándonos la mano

Dame tú tu mano blanca,
toma tú mi negra mano;
al querernos y ayudarnos
nos volveremos hermanos.

Conversemos

A Martha Carbonell, mi amiga desde los doce años

Me gusta escucharte,
me alegra tu voz.
Cuéntame tus cosas,
hablemos las dos.

Cuando yo te hablo,
siempre me contestas.
Cuando tú me hablas,
siento que me aprecias.

Oyéndote entiendo
lo que hoy has sentido.
Contando comparto
lo que yo he vivido.

Me gusta escucharte,
me alegra tu voz.
Cuéntame tus cosas,
hablemos las dos.

Canción de todos los niños y niñas del mundo

A Suni Paz, que convierte la vida en canción

Cuando aquí es de noche,
para ti amanece.
Vivimos muy lejos.
¿No te lo parece?

Cuando aquí es verano,
allí usan abrigos.
Si estamos tan lejos,
¿seremos amigos?

Yo no hablo tu idioma,
tú no hablas el mío.
Pero tú te ríes
cuando yo me río.

Estudias, estudio,
aprendo y aprendes.
Sueñas y yo sueño,
sé que me comprendes.

Vivimos muy lejos,
no estamos cercanos.
Pero yo te digo
que somos hermanos.

77

Somos amigas

A Elaine Marie, amiga en todos los idiomas

Yo hablo español,
tú hablas inglés.
Yo digo ¡sí!
Tú dices *¡yes!*

Tu pelo es rubio,
el mío café.
Somos amigas,
yo ya lo sé.

Juegas y juego,
cantas también;
lloras y ríes,
y quieres bien.

En esta mañana
de tan bello sol,
seamos hermanas
alegres tú y yo.

Secreto de la amistad

Para Silvia Matute, que sabe bien el secreto de la amistad

Es bueno tener amigos
que nos puedan ayudar
y que sean muy divertidos
para hablar, para jugar.

Es bueno tener amigos
a quienes puedo ayudar,
estar si nos necesitan
y saberlos escuchar.

¿Secreto de la amistad?
Si quieres un buen amigo,
dedícate de verdad
a ser tú un amigo bueno.

Cuanta

¡Cuántas delicias!

Arroz

Blanco o amarillo,
me gusta el arroz.
Con pollo o frijoles,
me gusta el arroz.

Con chile relleno,
me gusta el arroz.
Dentro de un burrito,
me gusta el arroz.

Arroz con gandules,
me gusta el arroz.
Arroz con leche,
¡me encanta el arroz!

Nieve, helado o mantecado

A mi hijo Alfonso, a su deleite al comer helados

Nieve, helado
o mantecado,
con cualquier nombre
me han encantado.

En barquillo o paleta,
vaso o emparedado,
sus ricos sabores
me han deleitado.

Tamarindo o guayaba,
limón o chabacano,
chocolate o vainilla,
todos los he probado.

Su dulzura fría
es el mejor regalo
para alegrar la tarde
caliente del verano.

Cereza

Redonda,
firme, lisa,
siempre logra sacarme
una sonrisa.

Caramelo de menta

Caramelo de menta,
limonada bien fría,
turrón de almendras,
tomillo y hierbabuena,
tilo y albahaca,
azúcar y canela.

No necesito que lleguen
a mi boca,
solo decir estas palabras
me la llena de sabor.

¡Qué palabras sabrosas!
Solo decirlas,
y mi boca se llena
de sonrisas.

iña

Elegante y olorosa,
la piña
no es una niña.

Es un barril
con peluca.

¡Qué ricos tamales!

Envueltitos en las hojas
amarillas del maíz,
qué deliciosos tamales
los que me han servido a mí.

Duelan y nada

Vuelan y nadan, trepan y saltan

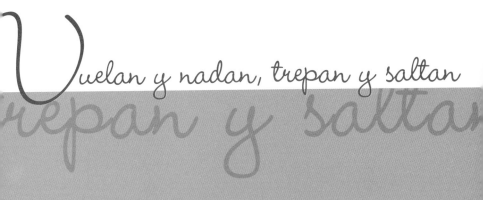

repan y saltan

Abeja

¿Qué flor te gusta a ti más,
abejita presurosa,
las gardenias, el clavel,
los jazmines o la rosa?

En un jardín tan florido
y con tanta flor hermosa,
solo tú puedes decirme
cuál da la miel más sabrosa.

Petirrojo

A mi hijo Miguel, que logró criar un pichoncito de petirrojo

Petirrojo que escarbas
aquí y allá
sin parar un momento,
¿no te cansas jamás?

¿Es que son muy pequeños
los gusanitos
o es que son muy golosos
tus pichoncitos?

Sapitos

A Germán Berdiales, agradecida

La ranita soy yo:
—¡Glo, glo, glo!
El sapito eres tú:
—¡Glu, glu, glu!
Cantemos así:
—¡Gli, gli, gli!
Que la lluvia se fue:
—¡Gle, gle, gle!
Y la ronda se va:
—¡Gla, gla, gla!

Gusanito

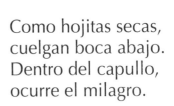

$\mathcal{J}$unto a mi ventana,
    en la enredadera,
he visto posarse
a una mariposa.

Y luego al marcharse
como rosa alada
dejó blancos puntos
en las verdes hojas.

Aquellos puntos
eran huevitos.
Se han transformado
en gusanitos.

Glotones gusanos.
Comen, crecen, comen.
Engordan y engordan.
Comen, crecen, comen.

Como hojitas secas,
cuelgan boca abajo.
Dentro del capullo,
ocurre el milagro.

Del capullo salen
cuatro alas sedosas,
patitas y antenas:
¡una mariposa!

a granja

*L*a granja es un mundo entero
con pollos, gallinas, gallos,
pavos, gansos y conejos,
vacas, toros y caballos,
cerdos, ovejas, palomas,
un canario, un loro, un pato,
¡y no olvidemos al gato!

Ranita

—*C*ucú, cucú —canta la ranita.
—Cucú, cucú —sentada en la roca.
—Cucú, cucú —repite y repite.
—Cucú, cucú —con toda la boca.

—Cucú —canta la ranita,
sentada allá en la laguna.
—Cucú —repite y repite.
Le está cantando a la luna.

Jirafa

Silencio profundo.
La noche estrellada
desciende
sobre la pradera.
Levanta su cuello
la esbelta jirafa.
¿Será que va a darle
un beso
a un lucero?
¿O querrá contarle
a la luna
un secreto?

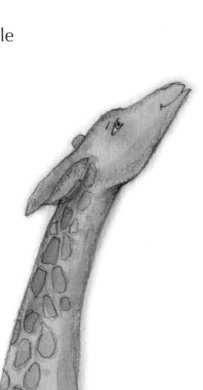

Una hormiguita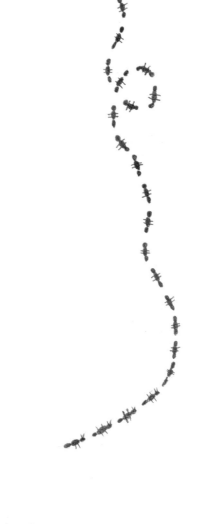

*U*na hormiguita sola
pasa y repasa,
no sé si está perdida
o qué le pasa.

Otra hormiga la sigue,
pasa y repasa,
¿dónde van, hormiguitas,
lejos de casa?

Tres hormigas caminan,
pasa y repasa,
¿cuántas más hormiguitas
quedan en casa?

Una hilera de hormigas
muy decididas,
van derecho al azúcar
en la cocina.

En el polo

Graciosos pingüinos
de negra levita:
son señores finos
que van de visita.

Alegres pingüinos
en traje de noche:
son señores finos,
¡aunque no usen coche!

Señores pingüinos,
todos de etiqueta:
¡seguro no saben
montar bicicleta!

Amigos pingüinos
mis señores finos:
¡si esperan un rato,
les tomo un retrato!

Cricrí

$\mathcal{V}$erde cricrí
del grillo alegre saltarín.

Sobre la rama,
bajo la hoja,
junto a la yerba,
sobre la flor.

Cricrí, saltando,
cricrí, llamando,
cricrí, cantando,
se pasa el día,
cricrí, cricando.

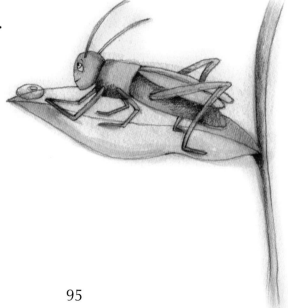

Ocho chivitos

Ocho chivitos, camino del mar,
pasan por las cañas…
(Se quedó un chivito
en el cañaveral).

Siete chivitos, camino del mar,
se comen los mangos…
(Se quedó un chivito
allá, en el mangal).

Seis chivitos, camino del mar,
recogen melones…
(Se quedó un chivito
en el melonar).

Cinco chivitos, camino del mar,
miran los cafetos…
(Se quedó un chivito
en el cafetal).

Cuatro chivitos, camino del mar,
ven las chirimoyas…
(Se quedó un chivito
en el chirimoyal).

Tres chivitos, camino del mar,
saborean guayabas…
(Se quedó un chivito
en el guayabal).

Dos chivitos, camino del mar,
prueban las cerezas…
(Se quedó un chivito
en el cerezal).

¿Y el número ocho?
¡Se comió un bizcocho!

Palomas

Grises, blancas y moradas,
  palomas alborotosas,
  todas son igual
de hermosas.

¿Qué sientes, paloma,
cuando,
después de compartir
en el parque
las migas
con patos y gaviotas,
ves que ellos pueden lanzarse al agua
y nadar,
y tú no?

igantes

Un mosquito ha visto al sapo.
Grita: —¡Me topé con un gigante!
El pato dice al mosquito:
—Hermano, tu gigante es un enano.

El pato ve al cocodrilo,
y grita: —¡Este sí que es un gigante!
El toro le dice al pato:
—Hermano, tu gigante es un enano.

El toro ve al hipopótamo.
y grita: —¡Este sí que es un gigante!
El elefante responde:
—Hermano, tu gigante es un enano.

Exploradores

A mi hijo Gabriel, que entiende que todo puede ser relativo, menos nuestro amor incondicional

La hormiguita pequeña
quiere explorar.
—No te vayas muy lejos
—dice mamá.
Para la madre hormiga,
lejos es fuera de la cocina.

El pollito pequeño
quiere explorar.
—No te vayas muy lejos
—dice mamá.
Para mamá gallina,
lejos es el patio de la vecina.

El potrillo pequeño
quiere explorar.
—No te vayas muy lejos
—dice mamá.
Para la madre yegua,
lejos es al otro lado de la cerca.

El pequeño aguilucho
quiere explorar.
—No te vayas muy lejos
—dice mamá.
Para la madre águila,
lejos es más allá de las nubes.

Mapache

El mapache se esconde
detrás de su antifaz
creyendo que así
no lo conocerás.
Pero deja sus huellas
por donde pasa:
la basura regada
junto a la casa.

Dentista para cocodrilos

La abuela cocodrilo,
que es vieja y lista,
entiende la importancia
de un buen dentista.
Por eso, deja alegre
que un pajarito
escarbe entre sus dientes
poco a poquito.
El pájaro, contento
con su alimento,
le deja dientes limpios
¡y buen aliento!

rrullo de la madre foca

A Rudyard Kipling, agradecida

Duérmete, foquita,
duerme en la ola.
Tu madre te acompaña,
no estarás sola.

Duerme, mi pequeñita,
bajo la luna,
si quieres una estrella
¡te traeré una!

Si te duermes, foquita,
mañana entre las olas
jugarás con delfines,
tocarás caracolas.

Duérmete, mi preciosa,
duerme, mi bien,
porque ya estás cansada,
y yo también.

Canción del gnomo del jardín

Esta era una cancioncita
cantada con retintín
por un gnomo muy gracioso
que habitaba en el jardín.

Si tienes cuidado
con el caracol
seguirá sacando
los cuernos al sol.

Si dejas tranquilo
al pequeño grillo,
chirriará un concierto
nuestro musiquillo.

Si nunca molestas
a la mariposa,
flotará en el aire
como flor hermosa.

No toques el nido,
no asustes la rana,
y muchos amigos
te querrán mañana.

Esta era la cancioncita
cantada con retintín,
con que nos dio una enseñanza
aquel gnomo del jardín.

tojas, kui

Hojas, frutas y corolas

Primavera

Puede durar cuanto quiera,
¡me encanta la primavera!

Hojas

Hojitas verdes,
hojas de algodón,
hojas de manzano,
hojas de limón.
Hojas que acompañan
al fruto y la flor.

eranios

Pinceladas alegres,
contra los muros blancos
en las casas de pueblo,
en los tiestos de barro.

Florecitas sencillas,
fáciles de cuidar,
tan solo de un gajito,
tú las puedes plantar.

Sembradas en macetas,
alegran los balcones
o cercan los jardines
con alegres colores.

Florecitas brillantes,
rojas, blancas, rosadas,
anaranjadas.
Hojitas de abanico,
acorazonadas.

Ronda

Para Inma Castellote, poeta, humildemente

Por el tronco, por la rama,
va lentito el caracol
dejando un rastro de plata
que brillará bajo el sol.

Que brillará bajo el sol
que ilumina la pradera.
El canto del ruiseñor
heraldea la primavera.

Heraldea la primavera
el aroma de la flor
y, de la enredadera,
el delicado color.

El delicado color
de las ramas florecidas
que prometen el sabor
de cerezas encendidas.

De cerezas encendidas
que brotarán de las ramas
donde deja el caracol
un tenue rastro de plata
¡que brillará bajo el sol!

Mañana de primavera

Para Rosalma, promesa, la más preciada, cumplida

En el prado, el caracol
saca los cuernos al sol.

Como premio, el girasol
le da un beso al caracol.

La abejita, presurosa,
saluda a la flor graciosa.

¡Qué promesa, la primera
mañana de primavera!

El campo

*A todos los campesinos migrantes y a sus familias,
con admiración y respeto*

Por muchos días, la semilla
quedó en el surco escondida,
pero el sol la ha despertado,
y ahora ya no está dormida.

Un par de hojitas pequeñas
asomaron de la tierra
y disfrutan de la brisa
que les llega de la sierra.

Las plantitas diminutas,
todas muy bien alineadas,
le sonríen a la mañana
porque han sido bien regadas.

Pasan días y semanas,
y las plantas hacendosas
van convirtiendo los rayos
de sol en hojas sabrosas.

Muy cerca del campo verde
en que las lechugas crecen,
hay largas filas de árboles,
que cada año florecen.

Melocotones, manzanas
y ciruelas olorosas
fueron flores y ahora son
frutas de lo más jugosas.

El campo nos da alimentos,
y no podríamos vivir
sin el esfuerzo de todos
los que lo hacen producir.

Sol y espuma

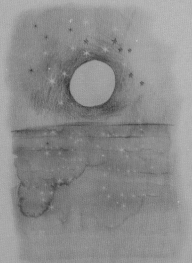

Estrella de mar

Para Marta Dujovne, amiga de siempre jamás

Estrella de los mares
del color del coral,
¿de qué cielo lejano
llegaste acá?
Caminando en puntillas,
¿a dónde vas?
¿A quién buscas y encuentras
para jugar?
¿A quién cuentas tus viajes
desde la mar?
¿Duermes bajo las olas?
¿Sabes soñar?
Estrella de los mares,
estrellita de mar,
¿quieres ser tú mi amiga
siempre jamás?

ol

Para Alga Marina Elizagaray, amiga de la verdad y amiga de verdad

Sobre el mar, sobre la arena,
sol de playa, sol.
Sobre laderas y ríos,
sol de monte, sol.

Sol de monte, sol de playa,
sol de desierto y ciudad,
enemigo de la sombra,
amigo de la verdad.

Caballito de mar

A Mirta Aguirre, agradecida

Caballito, caballito,
caballito de la mar,
¿a dónde vas sin jinete?,
¿a dónde quieres llegar?
Llévame sobre tu lomo,
¡tengo ganas de soñar!

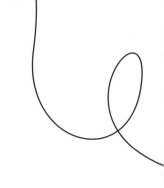

Cangrejito

Chiquitito, el cangrejito,
todo blanco, transparente,
va caminando de lado,
siempre, siempre de costado.
Todo blanco, transparente,
el cangrejito chiquito.

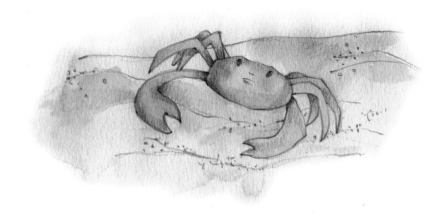

sla de sol

Para Enrique Pérez Díaz, en el amor a la misma isla

Cielo azul,
arenas blancas,
ardiente sol.
Esta es mi isla encantada;
en el mar, hermosa flor.

Ballenato

¿Cómo es que siendo un bebé,
ballenato,
eres más grande
que tantos peces viejos del mar?

Lago

Océano diminuto,
mar pequeño,
laguna grande,
charco inmenso,
lago,
eres tú solo
un mundo entero.

El pulpo

Ocho brazos tiene el pulpo,
ocho quiero tener yo.

Un brazo hace la tarea,
y otro puede dibujar.
Uno sostiene un helado
sin dejarlo derramar.
Y con los cinco restantes,
¡cuánto podré yo abrazar!

Un brazo abraza a mi padre
el otro abraza a mamá.
Y a mi abuelita querida
un abrazo de tres brazos
le voy a dar.

aracol

*C*aracol, caracol,
en la arena,
bajo el sol.
Bajo el sol,
sobre la ola,
caracol, a toda hora.

A toda hora, caracol,
nacarado,
bajo el sol.
Bajo el sol,
bajo la luna,
caracol, hecho de espuma.

Querer

La brisa en el cocotero
quiere bañarse en el mar;
pero el coco no la deja
alejarse del cocal.
La brisa suspira y ruega,
¡quiere bañarse en el mar!
Para convencerla, el coco
la invita a bailar, bailar.
El cocotero se duerme
agotado de danzar,
la brisa callada baja
a revolcarse en el mar.
Viste de espuma a las olas.
Viene y viene. Viene y va.
Bajo la luna serena
juegan la brisa y el mar.

rco iris

Para Isabel Mendoza, agradecida, por acoger la poesía

Detrás de la montaña,
el arco iris,
cuando cesa la lluvia,
el arco iris,
sobre campos de cañas,
el arco iris,
verde de cocoteros,
el arco iris,
amarillo limón,
el arco iris,
naranja anaranjada,
el arco iris,
rojo sol encendido,
el arco iris,
índigo de montañas,
el arco iris,
violeta de horizontes,
el arco iris,
hecho de agua de nubes,
el arco iris.

Sobre el azul del cielo,
el arco iris,
rojo, anaranjado, amarillo, verde, azul, índigo, violeta,
el arco iris.

La playa

Remar,
esquiar,
zambullirse,
divertirse.

Ir,
venir,
un castillo
construir.

En el agua,
deslizarse
y en la arena,
enterrarse.

Nadar,
flotar,
¡ven a la playa
a jugar!

pescador

A la orilla de la playa,
al ir a ponerse el sol,
deja caer sobre las aguas
su atarraya el pescador.

Se alza la red en el aire,
y en su abanico de tul,
relumbran los pececitos
como monedas de luz.

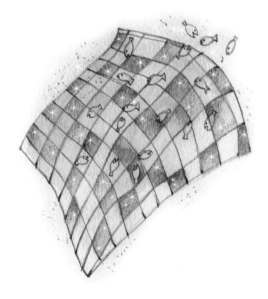

ueños y

Sueños y fantasías

Casi fui un campeón

Ayer en mi sueño,
casi fui un campeón.
Con las bases llenas,
me tocó batear,
estaba yo listo
a hacer un jonrón,
y en ese momento,
cayó un chaparrón…

Aunque no lo crean,
casi soy campeón.
Ayer por la tarde
—oigan, qué emoción—
con las bases llenas
iba a hacer jonrón,
solo que de pronto
cayó un chaparrón,
y solo por eso
hoy no soy campeón.

Origami

Con un cuadradito
de papel de arroz,
se hace un pajarito
o un tigre feroz.
Se dobla y se dobla,
se vuelve a doblar;
sale un pajarito
¡y se echa a volar!

Si yo fuera...

Si yo fuera hormiga,
me escondería
dentro de un pastel
¡y no saldría!

Si fuera mariposa,
alegraría
la escuela con mis vuelos,
¡no pararía!

Si yo fuera abeja,
descubriría
una flor como amiga
¡y la querría!

Y si fuera pingüino,
convertiría
todo el hielo en helado
¡y te invitaría!

Oficios

*M*i padre quiere
que sea doctor
y que a la gente
quite el dolor.

Mas yo prefiero
curar los gatos,
perros, caballos,
gallinas, patos.

Mi madre me quiere
ver profesora
dictando clases
a toda hora.

A mí me gusta
escribir cuentos
con brujas, magos
y encantamientos.

Mi tío sugiere
que sea ingeniero
para que gane
mucho dinero.

Prefiero risas
a su dinero
y voy a hacerme
¡titiritero!

Lo que vamos a ser

Todos nos preguntan
qué vamos a ser.

¿Capitán de un barco,
médica, escultora,
dentista, arquitecto,
escritor, pintora?

Todos los oficios
tienen sus encantos.
Elegir no es fácil,
¡son tantos y tantos!

¿Volar al espacio,
curar animales,
cultivar el campo
o pintar murales?

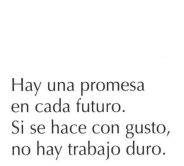

Hay una promesa
en cada futuro.
Si se hace con gusto,
no hay trabajo duro.

Lo más importante
es que lo sepamos.
¡Nada nos impide
ser lo que queramos!

La fuerza

La fuerza de la palabra

Nombres distintos

A Ricardo Soca, amigo y defensor de nuestro idioma

El español lo habla
muchísima gente,
por eso algunas cosas
se llaman diferente.

Subo por la escalera,
me dejo deslizar
por la **resbaladera,**
tobogán o **canal.**

Barrilete, huila,
o **papagayo,**
no importa demasiado
cómo lo llamo.

Se eleva entre las nubes
si le suelto el cordel:
papalote, chiringa,
cometa de papel.

Piscina o **pileta**
me deja nadar
o en la fresca **alberca**
puedo chapotear.

Para bañarme uso **trusa**,
traje de baño o **bañador**,
con todos ellos disfruto
el rico calor del sol.

Entre las aves admiro
al hermoso **picaflor**,
zunzún o **chuparrosa**,
colibrí o **zumbador**.

De flor en flor va volando,
no se detiene un instante,
alegrando mi jardín
como una joya brillante.

Qué hermosa lengua la mía,
¡cuántas palabras distintas!
Para alegrarme la vida,
aprendo una cada día.

Bilingüe

A todos los educadores que defienden el derecho de los niños a mantener su idioma materno

Porque hablo español,
puedo oír los cuentos de mi abuelita
y decir familia, madre, amor.
Porque hablo inglés,
puedo aprender de mi maestra
y decir *I love school.*
Porque soy bilingüe,
puedo leer libros y *books,*
tengo amigos y *friends,*
disfruto canciones y *songs,*
juegos y *games,*
y me divierto el doble.
Y algún día,
porque sé hablar dos idiomas,
podré hacer el doble de cosas,
ayudar al doble de personas
y hacer lo que haga el doble de bien.

Inglés y español

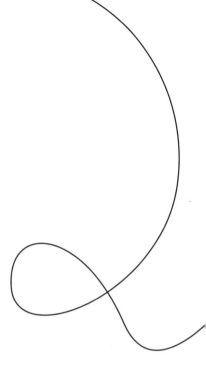

En inglés me gusta decir:
«*Do you want to be my friend?*»

Y en español digo:
«Ven y seremos amigos.»

Dos idiomas
y una misma amistad.

El poema

Para Norma Tow, cuidadora de las palabras y del idioma

Sonidos
>> *sh... sh... sh...*

Palabras
>> *flor*
>>> *familia*
>>>> *amistad*

cada una con su color
>> *amanecer*

su fragancia
>> *bosque*
>>> su sabor
>>>> *mar.*

Tomo un lápiz
>> escribo una
>>> *alegría*
>>>> dos
>>>>> *niñas, niños,*
>>>> tres
>>>>> *juegan, aprenden, sueñan*
>>>> muchas
>>>>> *siempre, aquí, allí,*
>>>>>> *en todas partes*

cada palabra distinta,
      única,
            y sin embargo,
                  contentas todas
            de estar en la página,
                  de formar
                        juntas
                  un regalo para todos
                        amistad, paz, solidaridad
                  en un poema.

Como una flor

A Jeru Kabal, agradecida

Como una flor,
abriendo su corola,
como un árbol,
creciendo hacia el azul.

Cantando tu canción,
la tuya, tu verdad,
la que dice quién eres
y a dónde vas.

Acepta la hermosura
de cada día,
la sorpresa del instante
y su alegría.

Creando tu poema,
diciendo tu palabra,
inventando tu historia,
cantando tu canción.

Capullo que florece
y añade su color,
su belleza, su aroma,
¡y tú eres esa flor!

Ramas que dan fruto
cargado de sabor,
¡y tú eres ese árbol
cubierto de verdor!

Todo es canción

A Samantha Rose, en su nacimiento

Canción del agua en las rocas,
canción del ritmo del mar,
canción del grillar del grillo
y del viento en el pinar.

Canción alas de libélula,
canción en el olivar,
canción de los campesinos
y del canario el trinar.

Canción sinsonte del monte
y la brisa en el palmar,
canción de los cocoteros,
os de dulce susurrar.

Canción para ti, mi niña,
acabada de llegar,
porque has nacido a la vida,
a vida quiere cantar.